# 가실과 설씨아씨

목숨을 걸고 약속을 지키다

원작 김부식  글 구들  그림 홍우리  감수 최광식

신라의 외진 시골 마을,
하늘이 회색으로 물들며 눈이 내리기 시작했어요.
**뚝딱뚝딱!**
산자락에서 연방 나무 찍는 소리가 들렸지요.
숲 속에서 몸매가 다부진 청년 한 명이
장작을 패고 있었어요.
눈발이 날리는 겨울 저녁인데도 청년의 얼굴에는
땀이 줄줄 흐르고 있었어요.
"아, 덥다!"
청년은 윗도리를 벗어 놓고 다시 장작을 팼어요.
커다란 지게 가득히 장작이 쌓였는데도
청년은 도끼질을 멈추지 않았어요.
청년의 이름은 가실로
어렸을 때 고아가 되어 줄곧 이 마을에서
혼자 살고 있었지요.
한참이나 장작을 더 패고 나서야 가실은
허리를 폈어요.
등을 타고 땀이 주르르 흘러내렸어요.
쌓인 장작을 바라보는 가실의 얼굴에
만족스런 미소가 돌았어요.

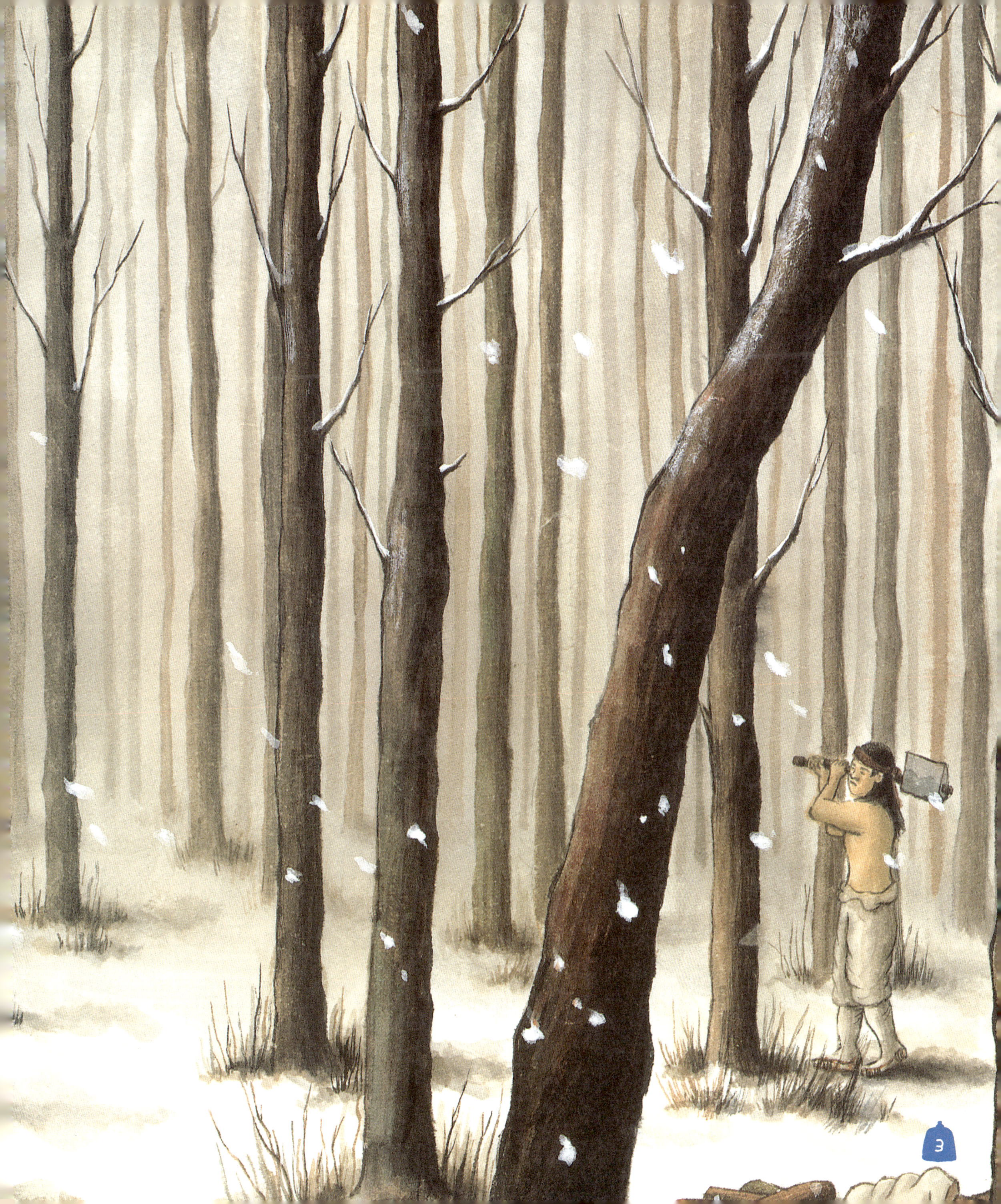

가실은 높이 쌓은 장작더미를 지게에 지고 마을 끝에 있는 초가로 향했어요.
허물어진 울타리에 작은 흙 마당, 문살에 붙은 낡은 창호지…….
보기만 해도 가난이 묻어나는 집이었어요.
가실은 이 집에 사는 설 낭자*를 사랑하고 있었지요.
설 낭자는 남의 집 바느질을 대신해서 번 돈으로 병든 아버지를 모시며
어렵게 살고 있었답니다.

*낭자 : 예전에 처녀를 높여 이르던 말

**콜록콜록!**

방 안에서 설 노인의 기침 소리가 들렸어요.

'날이 추워지니 기침이 더 심해지시는구나.'

가실이 장작을 부엌 앞에 부려 놓고 몰래 나가려 할 때,

부엌문이 열리며 설 낭자가 나타났어요.

누덕누덕 기운 옷을 입었지만 설 낭자는 무척이나 아름다웠어요.

"가실님, 오래전부터 저희 집에 장작을 놓아 두고 가시는 것을 알고 있었습니다.

지금껏 인사도 못 드려 송구스럽기 짝이 없습니다. 정말 고맙습니다."

"아닙니다. 그저 제가 쓸 장작을 패는 김에 설 낭자 것도……."

가실은 말끝을 맺지 못하고 쑥스럽게 웃었어요.

설 낭자는 상냥하게 웃으며 말했어요.

"마침 저녁밥이 다 되었어요. 반찬은 없지만 같이 드세요."

설 낭자가 권하자 가실은 못 이기는 척 방으로 들어갔어요.

"어서 오게, 가실. 안 그래도 한번 보고 싶었다네."
기침을 하던 설 노인이 반갑게 가실을 맞았어요.
방에는 단출한 밥상이 차려져 있었어요.
잡곡으로 지은 거친 밥에 반찬이라고는 간장 한 종지와 김치뿐이었지만,
세상 그 어떤 음식보다 맛있었지요.
흐뭇한 미소를 지으며 가실을 바라보던 설 노인의 얼굴이 갑자기
슬픈 표정으로 바뀌었어요.
"전쟁터로 나가기 전에 자네와 밥이라도 한 끼 같이 먹고 싶었다네."
'전쟁터'라는 말에 가실은 깜짝 놀랐어요.
"어르신. 물론 지금 신라가 백제와 전쟁 중이긴 합니다만, 연세도 많고
몸도 편찮으신 어르신이 어찌 전쟁터에 나가신다는 말씀이십니까?"
설 낭자가 눈물을 훔치며 말했어요.
"세금을 내지 못했더니 아버지를 전쟁터로……."
가실은 화들짝 놀랐어요.

7

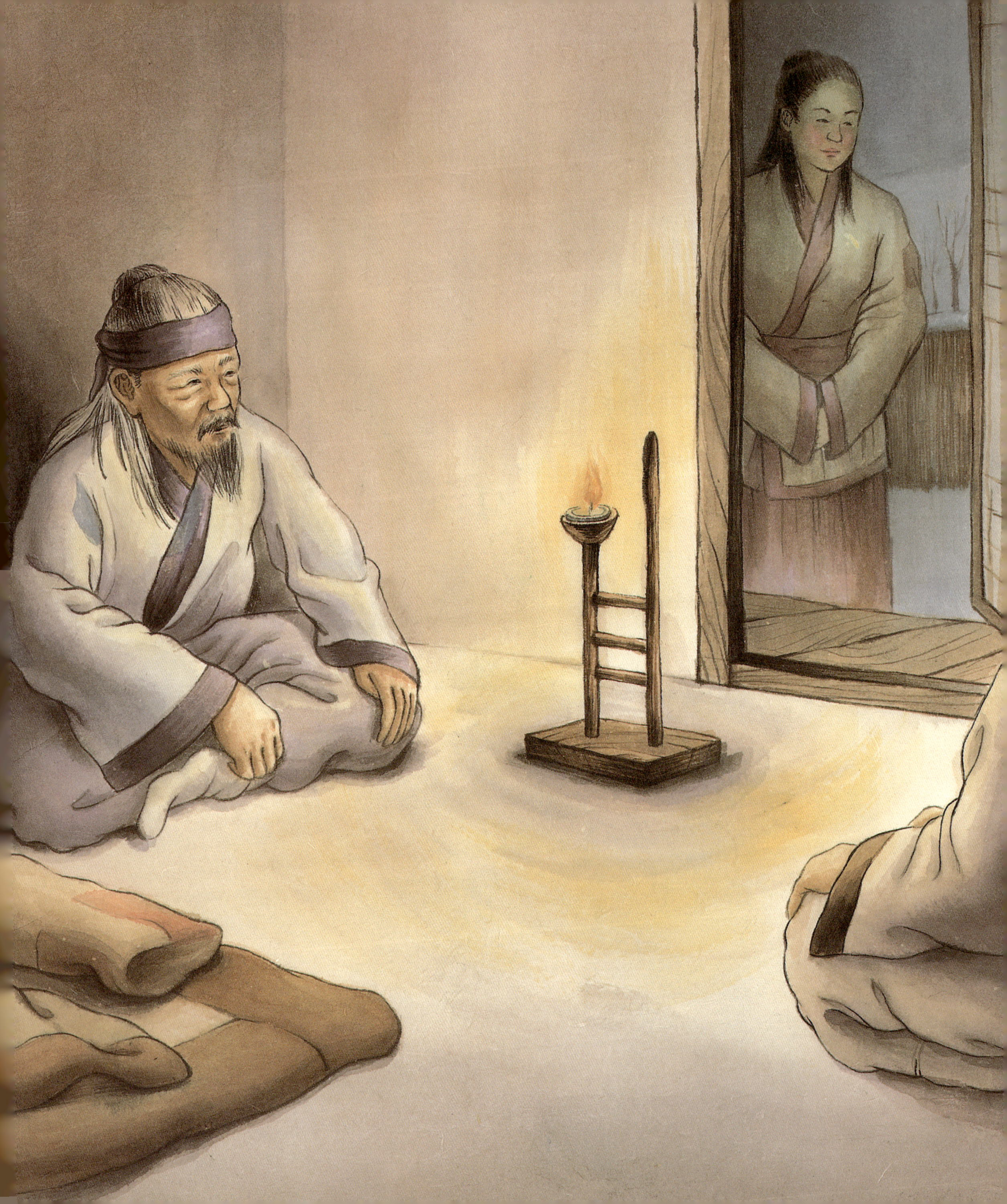

저녁 밥상을 물리고 나서
설 노인이 가실에게 말했어요.
"자네에게 부탁이 있다네."
가실은 조용히 설 노인의 다음 말을 기다렸어요.
설 노인은 터져 나오는 기침을 어렵게 삼키고
입을 열었지요.
"아까도 말했다시피 내가 전쟁터로 나가면
우리 집에는 딸 아이 혼자 남는다네. 게다가 한번
전쟁터로 나가면 살아 온다는 보장도 없지 않나?
딸아이를 생각하면 제대로 눈을 감을 수도 없을 것 같네.
그래서 자네가 내 딸과 혼인해 주었으면 싶네."
가실은 자신의 귀를 의심했어요.
가난한 고아라는 이유로 아무도 거들떠보지 않는
자신을 사윗감으로 생각해 주는 설 노인이 고마웠지요.
게다가 혼인할 사람이 사랑하는 설 낭자라니
가실은 세상을 다 가진 듯 행복했답니다.
그러나 가실은 금방 정신을 차리고 다시
생각해 보았어요. 과연 설 낭자가 아버지를
전쟁터에 보내고 자신과 혼인해서 행복해질런지,
가실은 그렇지 않을 것 같았어요.

가실은 밤새 고민했지요.

마음 같아서는 설 낭자와 혼인하여 행복하게 살고 싶었지만

설 노인을 생각하면 가슴이 아파 도무지 견딜 수가 없었어요.

날이 밝자 가실은 설 낭자의 집으로 갔어요.

설 낭자는 떠나는 아버지를 위해 옷을 짓고 있었답니다.

가실은 설 노인에게 절을 하고 씩씩하게 말했어요.

"어르신! 어르신께서 전쟁터에 가시는 것은 무리입니다.

어르신을 대신해 제가 전쟁터에 가겠습니다.

그러니 어르신께서는 이곳에 설 낭자와 함께 남으십시오."

설 낭자와 노인은 깜짝 놀랐어요.

"안 돼, 그럴 수 없네. 나는 어차피 살 날이 얼마 남지 않은
 늙은이일세. 그러니 내가 가겠네."

하지만 단단히 결심을 하고 온 가실은 흔들리지 않았어요.
"아닙니다. 이미 마음을 정했으니 제 성의를 봐서라도 허락해 주십시오."
설 낭자와 노인은 고마움의 눈물을 흘렸어요.

가실이 설 노인을 대신해 전쟁터로 간다는 소문은 삽시간에 온 마을에 퍼졌어요.
"정말 대단해. 피 한 방울 섞이지 않은 남의 아버지를 대신해서 전쟁터에 나가다니……."
"그만큼 가실이 설 낭자를 좋아한단 뜻이지."
설 낭자는 그동안 모아 둔 돈으로 옷감을 사서
혼례식 때 입을 새 옷을 지었어요.

하루는 가실이 설 낭자를 찾아와서 말했어요.
"설 낭자, 혼례식을 좀 미루도록 합시다."
뜻밖의 말에 설 낭자는 바느질하던 손을 멈추고 의아한 얼굴로 가실을 바라보았어요.
가실은 설 낭자의 손을 잡으며 다정하게 말했어요.
"내가 전쟁터에서 돌아오면 그때 혼인해도 늦지 않소.
지금 혼인했다가 혹시라도 내가 살아 돌아오지 못하면 낭자가 힘들 것이오."
설 낭자는 눈물을 흘리며 고개를 가로저었어요.
"그런 말씀 마세요. 가실님은 꼭 살아 돌아오실 것입니다.
그러니 혼인을 하고 떠나세요."

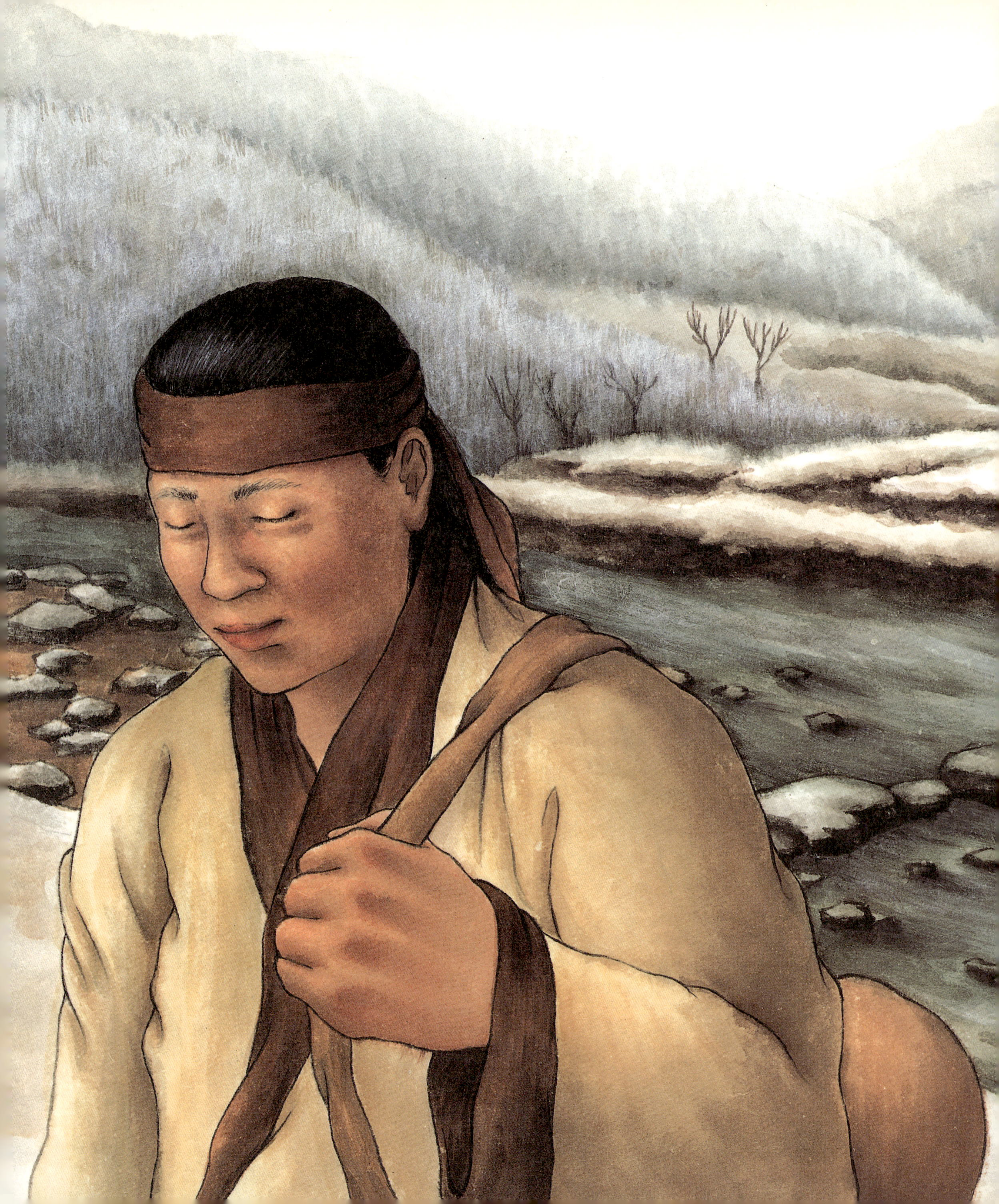

설 노인도 가실을 설득했어요.
"자네 마음은 이해하지만, 그건 도리가 아닐세.
혼례식을 올리고 떠나게."
그래도 가실이 고집을 꺾지 않자 설 낭자는 품속에서 손거울을 꺼냈어요.
그것은 돌아가신 어머니가 설 낭자에게 남겨 주신 보물이었지요.
설 낭자는 거울을 쪼개 반쪽을 내밀며 말했어요.
"저는 끝까지 가실님을 기다릴 것입니다.
아무리 세월이 많이 흘러도 이 거울 조각만 있으면
서로를 알아볼 수 있을 거예요."

가실은 설 낭자가 건네는 거울 반쪽을
소중하게 받아 쥐고는 길을 떠났어요.
설 낭자는 마을 개울까지 가실을 배웅했지요.
가실은 묵묵히 걸어가다가 뒤를 돌아보았어요.
설 낭자는 아직까지 그대로 서 있었답니다.
"꼭 살아 돌아오겠소."
가실은 이렇게 외치고는 돌아섰어요.
설 낭자는 눈물을 흘리며 가실에게 손을 흔들었지요.

"싸워라, 신라군이여! 진격하라!"

**와와와!**

전쟁터는 아수라장이었어요.

여기저기서 불화살이 날아다니고 칼과 창이 부딪치며 불꽃이 튀었어요.

사람들은 피를 흘리며 쓰러졌지요.

어릴 때부터 힘든 일을 하며 단련된 가실은

신라 군사 중에서도 싸움을 잘하는 군사로 손꼽혔어요.

가실은 한 무리의 적군을 생포하기도 했고, 적의 성으로 몰래 들어가

성문을 여는 위험한 일도 척척 해냈지요.

"저 녀석은 이름을 날리려고 목숨을 건 것 같아."

군사들은 수군거렸어요.

하지만 가실이 이렇게 열심히 싸우는 건 바로 설 낭자 때문이었어요.

신라가 이기지 않으면 설 낭자에게 돌아갈 수 없을 테니까요.

17

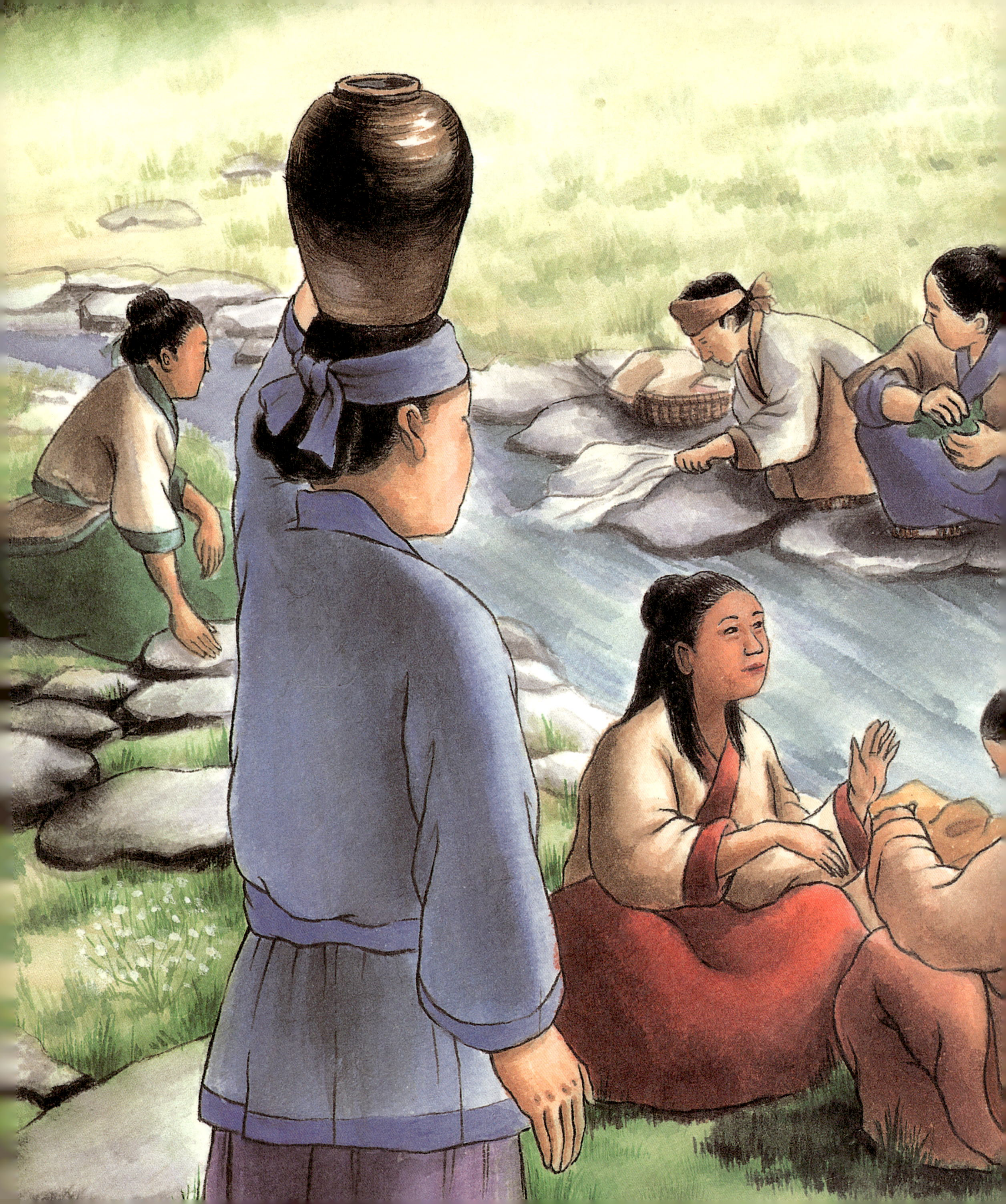

가실이 떠나고 3년이 흘렀어요.
남자들이 모두 전쟁터로 끌려나간 마을에는 여자와 아이,
노인들만 남아 힘겹게 살고 있었지요.
설 낭자도 남의 집 농사일을 돕거나 바느질을 해 주며
품삯을 받아 지냈답니다.
전쟁이 길어지면서 사람들은 점점 지쳐갔어요.
이즈음 이웃 마을의 부잣집 청년이
설 낭자를 보고 한눈에 반해 청혼했어요.
"세상에! 이웃 마을의 부잣집 아들이 설 낭자에게 청혼했대요.
이제 설 낭자는 고생 다 끝났네요."
"무슨 소리야? 설 낭자가 가실을 두고
딴 사람에게 시집을 가면 안 되지.
가실이 누구 때문에 전쟁터에 나갔는데."
"사람들이 얼마나 많이 죽었는데, 가실이라고 별 수 있겠어요?
3년째 소식이 없는 걸 보면 벌써 전쟁터에서 죽은 거라고요."
마을 아낙네들은 모이기만 하면 설 낭자 이야기를 했어요.

하지만 설 낭자는 부잣집 청년의 청혼을 거절했어요.

"저는 이미 가실님과 혼인하기로 약속한 몸입니다. 그러니 청혼을 거두어 주십시오."

청년도 물러서지 않았어요.

"설 낭자의 마음은 잘 압니다. 하지만 가실은 3년째 돌아오지 않고 있어요.

전쟁터에서 죽은 게 틀림없어요. 그런데 설 낭자가 자기 때문에 혼인하지 않고

평생 혼자 힘들게 산다면 하늘에 있는 가실도 슬퍼할 것입니다.

그러니 부디 제 청혼을 받아 주십시오."

그러자 설 노인이 나섰어요.

"도련님처럼 높으신 분이 미천한 제 딸을 아껴 주시는 것은 고맙지만

사람은 의리를 지켜야 하지 않겠습니까? 저도 제 딸과 같은 마음입니다."

그러자 청년은 한숨을 쉬더니 애원하듯 말했지요.

"알겠습니다. 설 낭자가 가실을 기다리는 동안 저도 혼인하지 않고

설 낭자를 기다리겠습니다. 언제라도 마음이 바뀌면 저와 혼인해 주십시오."

청년이 돌아간 뒤, 설 낭자는 가실을 지켜 달라고 부처님께 기도를 올렸어요.

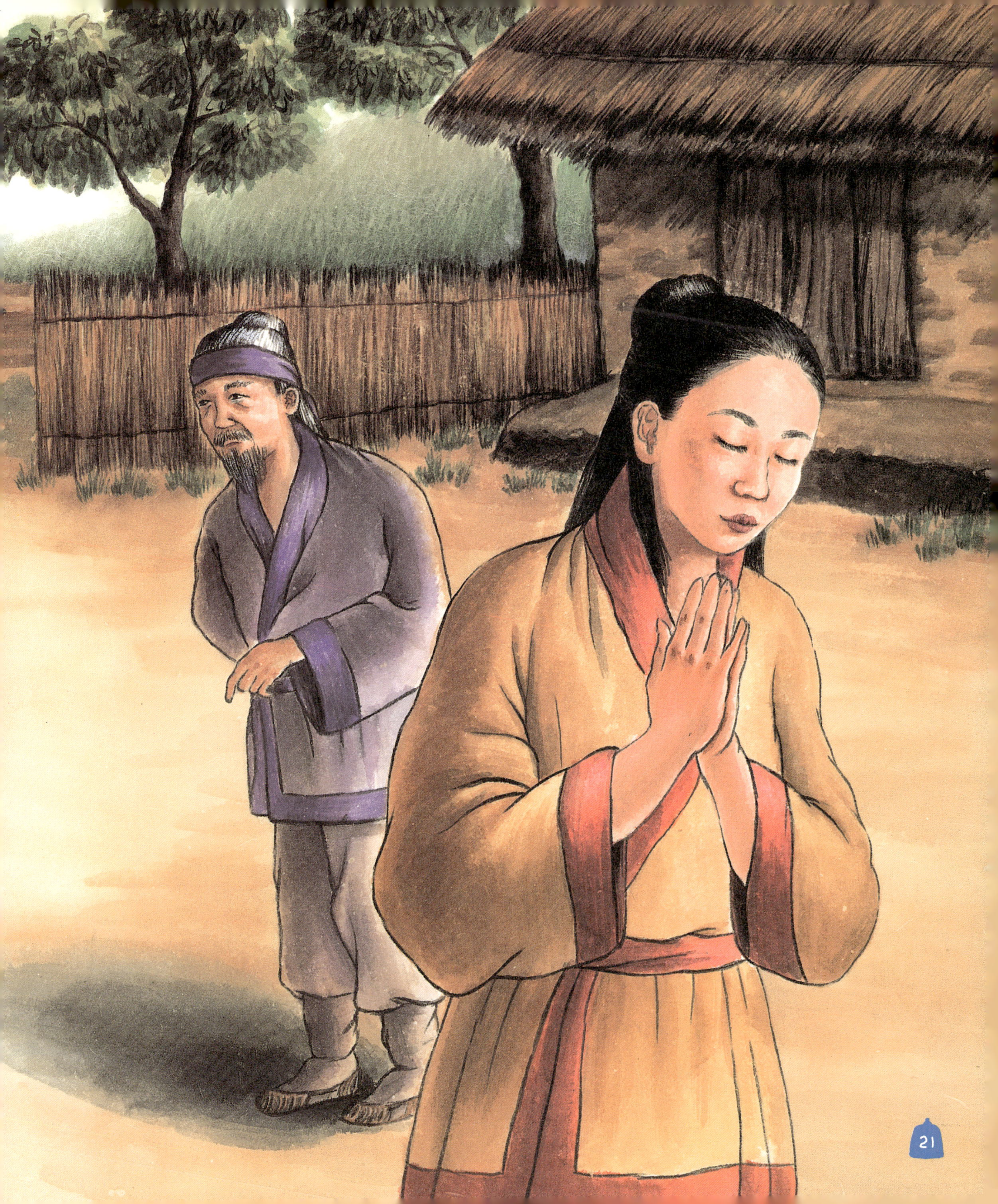

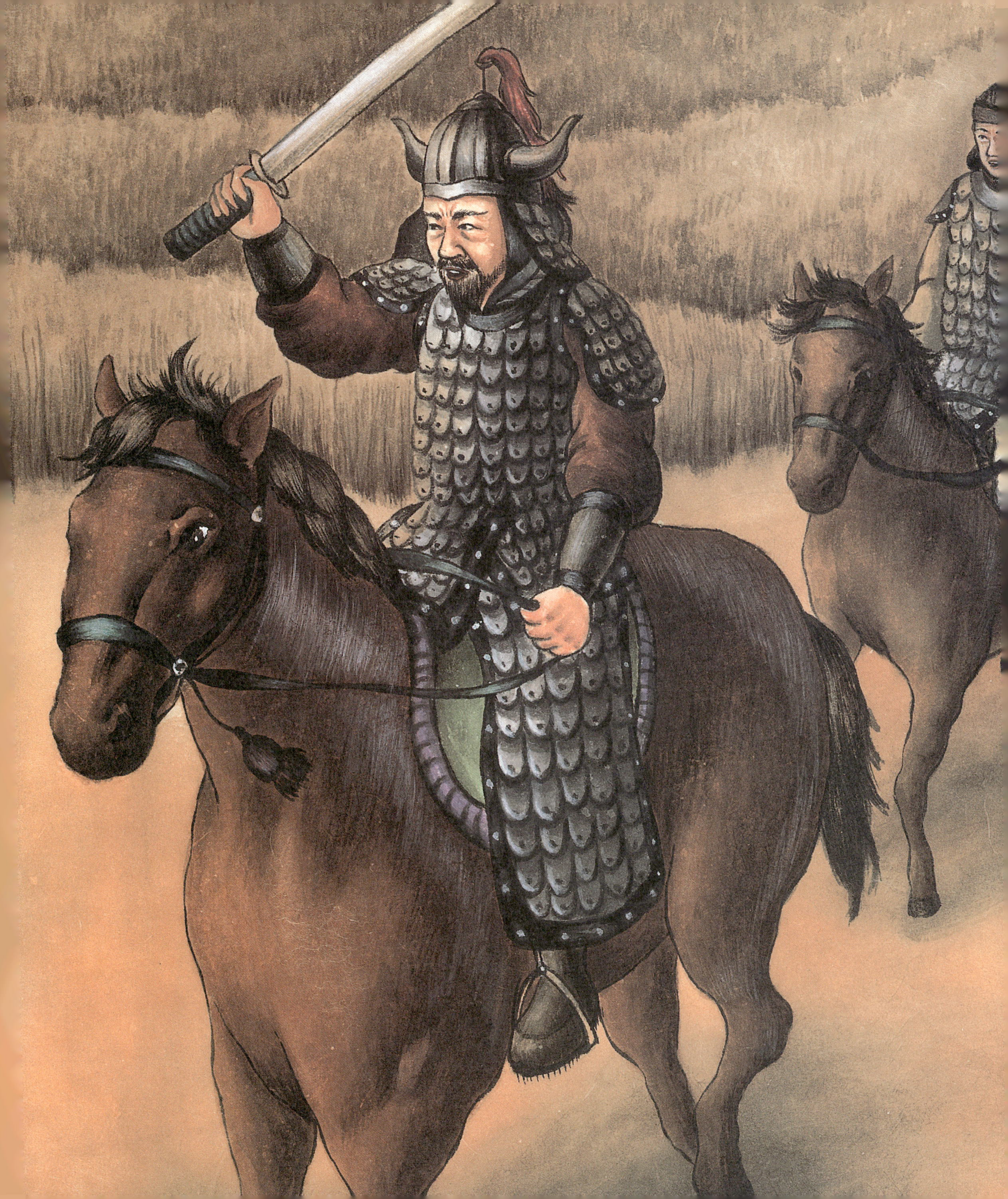

전쟁은 막바지에 이르고 있었어요.
"저 성만 정복하면 우리가 이기는 것이다.
그러면 우리는 고향으로 돌아갈 수 있다!"
신라군은 성난 파도처럼 고구려 성을 공격했어요.
가실도 맨 앞에서 용감하게 싸웠어요.
그런데 가실은 마지막 싸움에서 그만 고구려 군사에게 붙잡혀
고구려 평양성으로 끌려가고 말았어요.
가실은 몇 번이나 도망을 가려고 했지만 그때마다 붙잡혀 왔어요.
그러는 동안 5년이라는 시간이 흘렀지요.
'설 낭자, 혹 아직도 나를 기다리고 계시오? 보고 싶소.'
가실은 밤마다 거울을 보며 설 낭자를 그리워했어요.
그즈음, 고구려는 북쪽의 오랑캐와 전쟁을 시작했지요.
고구려에 포로로 잡혀 온 가실은 고구려 군사가 되어 전쟁터에 나갔어요.
'전쟁에서 공을 세우면 신라로 돌려보내 줄지도 모른다.'
가실은 목숨을 걸고 싸웠어요.
설 낭자가 자신을 기다리고 있을 것이라 굳게 믿었으니까요.

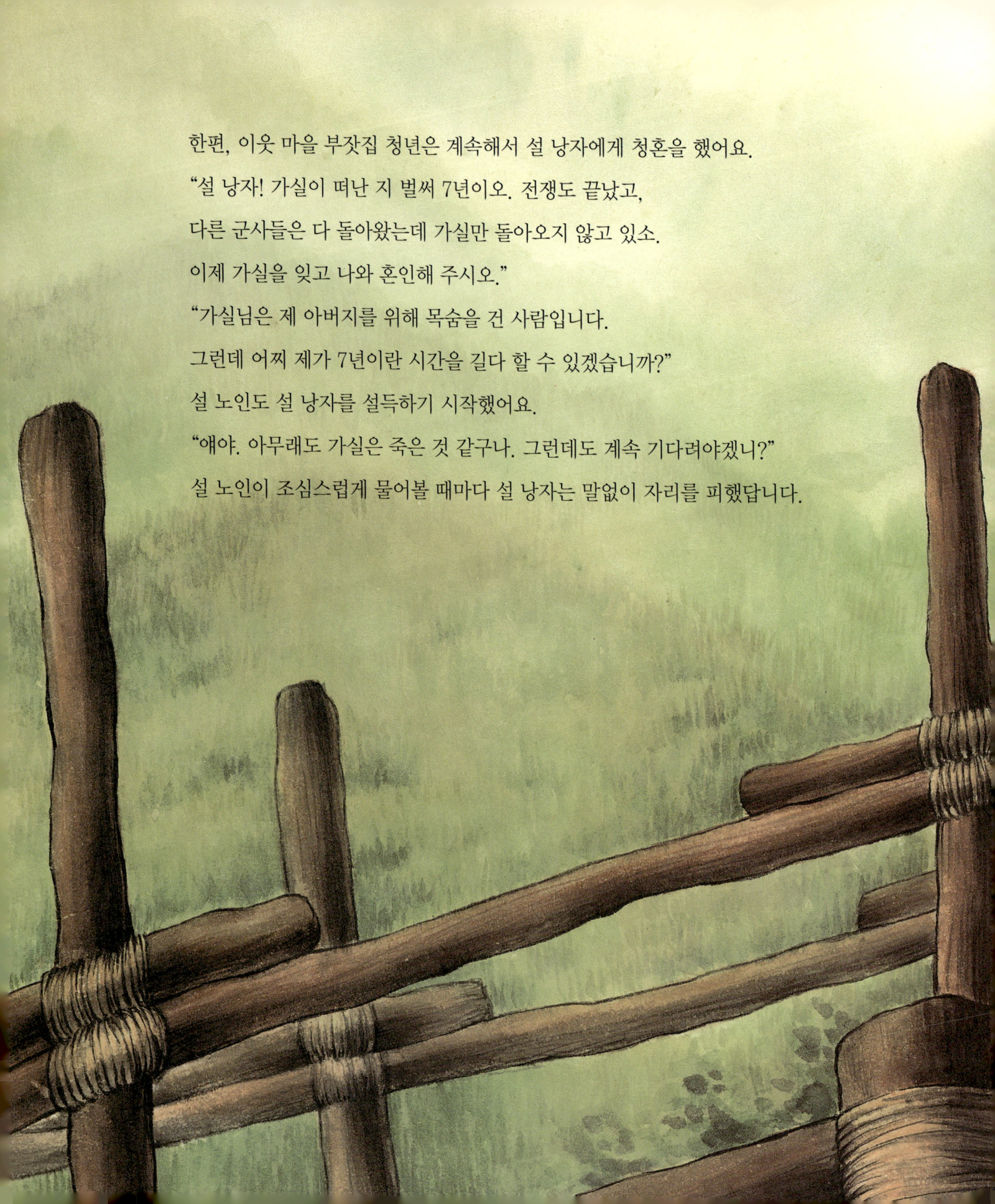

한편, 이웃 마을 부잣집 청년은 계속해서 설 낭자에게 청혼을 했어요.

"설 낭자! 가실이 떠난 지 벌써 7년이오. 전쟁도 끝났고,
다른 군사들은 다 돌아왔는데 가실만 돌아오지 않고 있소.
이제 가실을 잊고 나와 혼인해 주시오."

"가실님은 제 아버지를 위해 목숨을 건 사람입니다.
그런데 어찌 제가 7년이란 시간을 길다 할 수 있겠습니까?"

설 노인도 설 낭자를 설득하기 시작했어요.

"애야. 아무래도 가실은 죽은 것 같구나. 그런데도 계속 기다려야겠니?"

설 노인이 조심스럽게 물어볼 때마다 설 낭자는 말없이 자리를 피했답니다.

25

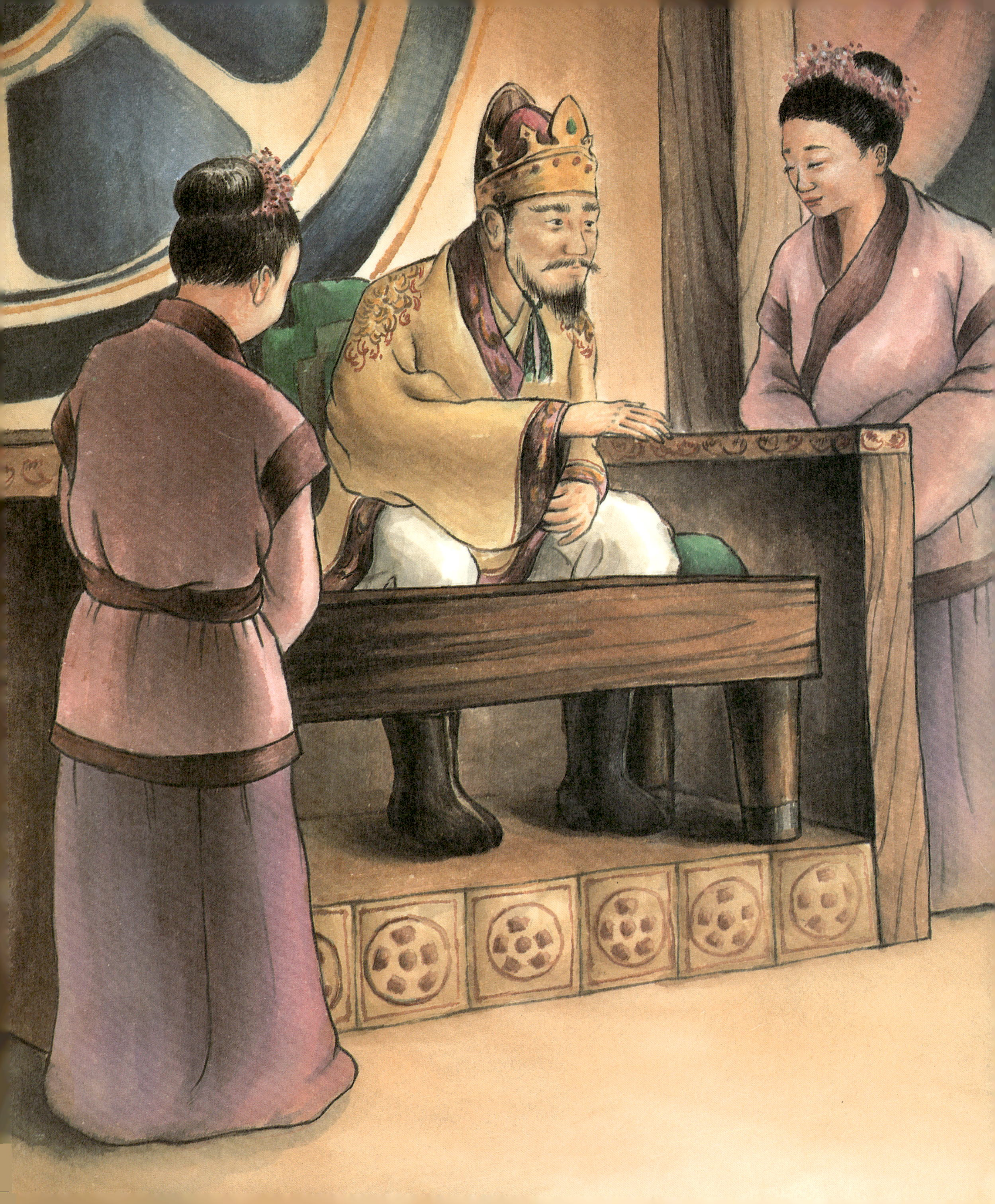

가실은 전쟁에서 오랑캐군을 무찌르고 큰 공을 세웠어요.
고구려 왕은 가실을 불러 칭찬했어요.
"그대는 신라 사람이면서도 고구려 군사보다 더 열심히 싸워 공을 세웠다.
그래서 그대를 고구려 장군으로 임명할까 하는데, 그대의 생각은 어떠한가?"
가실은 고구려 왕의 제안을 뿌리치기 어려웠어요.
신라로 돌아가면 가실은 여전히 미천한 신분으로 평생 가난하게 살겠지만,
고구려에서는 부유하고 명예롭게 살 수 있을 테니까요.
하지만 가실의 마음은 변하지 않았어요.
"저에게는 혼인하기로 한 여인이 있습니다.
세월이 많이 지났지만 그 여인이 저를 기다리고 있을 것이라고 믿습니다.
저를 신라로 보내 주시는 것 외에 바라는 게 없습니다."
가실의 곧은 마음에 감동한 고구려 왕은
가실을 안전하게 신라로 보내 주었어요.

그즈음 설 노인은 병에 걸렸어요.

딸은 혼인도 못 한 채 나이를 먹는데,

자기를 대신해 전쟁터로 나간 가실은 소식도 없으니

근심이 깊어져 마음의 병을 얻은 것이지요.

설 낭자는 거울을 꺼내 보며 눈물을 흘렸답니다.

"아, 가실님. 저는 어떻게 해야 하나요?"

설 낭자는 돌아오지 않을 가실을 기다리며 눈물로 하루하루를 보냈어요.

그러던 어느 날, 낡은 옷을 걸치고 초췌한 얼굴을 한 남자가

설 낭자의 집 앞에 나타났어요.

고구려를 떠나 집으로 돌아오는 동안 크고 작은 고생을 한 가실은

몸도 마음도 많이 지쳐있었지요.

그러나 마을 사람들은커녕 집안사람 누구도 가실을 알아보지 못했어요.

가실은 품속에서 깨어진 거울을 꺼내 설 낭자에게 건네며 말했지요.

"설 낭자, 그동안 얼마나 고생이 많았소?"

너무 늦게 돌아와서 미안하오."

설 낭자는 눈물을 흘리며 가실의 품에 안겼어요.

마을 사람들은 두 사람을 축복해 주었어요.

며칠 뒤, 가실과 설 낭자는 혼례식을 올렸어요.

그리고 설 노인과 행복하게 살았지요.

두 사람의 아름다운 사랑은 오늘날까지

사람들의 마음에 감동을 주고 있답니다.

29

믿음과 의리로 사랑을 지켜 낸

# 가실과 설씨 아씨

신라 제26대 진평왕이 다스리던 때의 신라는 외적의 침략을 자주 받았습니다. 서쪽으로는 백제, 북쪽에서는 고구려가 끊임없이 신라를 괴롭혔지요. 이러한 상황에서 무기를 들 힘이 있는 남자는 무조건 전쟁터로 나가 싸워야 했답니다.

전쟁이란 불씨는 설씨 아씨네에게도 번져 설씨 아씨의 아버지가 전쟁터에 징발되고 맙니다. 설씨 아씨는 나이든 아버지가 전쟁터에 나가게 되자 무척 안타까웠어요. 이를 알게 된 가실이 설씨 아씨의 아버지를 대신해 전쟁터에 나가기로 결심합니다. 설씨 아씨는 믿음의 증표로 거울을 반으로 쪼개 서로 나눠 가집니다. 그리고 7년 동안 가실만 기다립니다. 가실 또한 고구려에서 공을 인정받아 약속된 부귀영화를 버리고 설씨 아씨를 찾아 신라로 돌아옵니다.

오랜 전쟁 가운데서도 가실과 설씨 아씨 두 사람이 사랑을 지킬 수 있었던 것은 서로에 대한 굳은 믿음이라는 무기 때문이었지요. 가실과 설씨 아씨 이야기가 오래도록 전해져 내려오는 것은 이들의 진정한 사랑이 시대를 넘어 모든 사람에게 가슴 따뜻한 감동을 주기 때문이랍니다.

「가실과 설씨 아씨는 전쟁 속에서도 믿음과 의리로 사랑을 지켜 냈어요」

기원전 57년
신라 건국

512년
우산국 정복

532년
금관가야 정복

579년
진평왕
신라 제26대 왕 즉위

621년
신라 당나라와 수교

629년
신라
고구려 낭비성 공격

660년
백제 정복

## 가실, 설씨 아씨와 관련 있는 인물들

### 진평왕 : 신라 제26대 왕

왕위에 있었던 기간은 579~632년입니다. 왕위에 오른 후에 나라의 연호를 '건복'으로 바꾸고 여러 차례 고구려의 침입에 대항하였습니다. 618년 중국 수나라가 멸망하자, 621년에는 당나라와 연합하여 고구려를 침입하려고 했습니다. 나라 안으로 여러 부서를 설치하여 내정을 충실히 하였고 신라 불교를 발전시켰습니다.

### 알고 싶은 요모조모

**부절**

설씨 아씨는 가실과 헤어지면서 거울을 나눠 가졌어요. 이처럼 뒷날 신분 확인을 위해 둘로 쪼개 나눠 가지는 물건을 '부절'이라고 부릅니다. 옛 이야기를 보면, 사랑이나 이별을 상징하는 부절로 거울이 많이 사용되었습니다. 나눠 가진 거울이 맑으면 사랑하는 사람이 편안하게 있는 것이라 여겨 안심하였고, 거울이 흐리거나 깨지면 사랑하는 사람에게 좋지 않은 일이 있다하여 걱정을 했지요.
부절은 또 나라에서 관리를 파견하거나 군사를 동원할 때 신분 확인을 위한 용도로도 자주 쓰였어요. 이때의 부절은 주로 돌이나 대나무를 쪼개서 만들었답니다.

| 668년 | 676년 | 751년 | 828년 | 888년 | 935년 |
|---|---|---|---|---|---|
| 고구려 정복 | 삼국 통일 통일 신라 시대 시작 | 불국사 창건 | 청해진 설치 | 향가집 《삼대목》 편찬 | 신라 멸망 |

## 궁금증을 풀어 주는 미로여행

**Q1** 가실의 성은 무엇일까요?

**Q2** 가실은 왜 전쟁터에 징발되지 않았나요?

**Q3** 설씨 아씨는 왜 거울을 쪼개 가실과 나누어 가졌을까요?

**Q4** 신라 시대의 거울은 요즘 거울과 비슷했나요?

'가실'은 성 없이 그냥 **이름**일 가능성이 커요. 당시 귀족들에게는 성이 있었지만 평민들에게는 대부분 성이 없었답니다.

옛날에도 지금처럼 아이가 태어나거나 사람이 죽으면 관청에 이를 신고하여 기록을 남겼어요. 하지만 가실은 **고아**였기 때문에 이 같은 기록이 없어 전쟁터에 불려 가지 않았다고 생각할 수 있어요.

당시에 거울은 귀한 물건이었어요. 또 옛 사람들은 **사랑하는 사람**끼리 거울을 쪼개 나누어 가졌어요. 거울이 맑으면 사랑하는 사람이 편안하고, 거울이 흐리면 사랑하는 사람에게 좋지 않은 일이 생긴 것이라 여겼어요. 설씨 아씨도 가실의 안전 확인과 사랑의 증표로써 거울을 반씩 나누어 가진 것이에요.

신라 시대의 거울은 **청동거울**로 지금의 거울과는 달라요. 청동의 표면을 매끈하게 갈아서 만든 거울은 녹이 슬기 때문에 계속 닦아서 써야 했지요. 지금의 거울만큼 또렷하게 얼굴을 볼 수 있는 유리 거울은 조선 시대 중기부터 사용했답니다.